Rastamouse

Da Monstrous Fib

Campbell Books

Bagga T and his cousin Mixie

Have set up a **campin'** site

For a crucial jam wid Da Easy Crew

Dat's goin' down **tomorrow night.**

Cousin Mixie is da **beatboxin'** queen,

An' she wants to be part ah Da Crew.

"Mi need to prove dat mi brave an' cool

Mi wonder **what mi can do?**"

Da likkle orphans are sleepin' in dere tents,

Tucked up warm an' tight,

When from outta da woods comes a spooky noise . . .

meee-ooow!

. . . an' it give dem a proper fright!

Next day Da Crew's at da orphanage,
Where da President tells dem da deal.
"Dem orphans all scared," says Bagga T,
Dey tink dere's a monster for real!"

Mixie repeats da spooky sounds.
"Mi **heard da monster,** ya see.
Mi saw it too, **all bristly and BIG,**
And **mi chased** it into da trees!"

Grr...

Da Easy Crew shift to **da forest**,
To check out what Mixie jus' said.

"Mi too scared to look," says Zoomer.
But dere's **no paw-prints**, just grass instead!

Mixie repeats da spooky sounds.
"Mi **heard da monster**, ya see.
Mi saw it too, **all bristly and BIG**,
And **mi chased** it into da trees!"

Grr...

Da Easy Crew shift to **da forest,**
To check out what Mixie jus' said.

"Mi too scared to look," says Zoomer.
But dere's **no paw-prints,** just grass instead!

"No tracks at all," says Rastamouse,
"No sign of da monster here.

How ya explain dis den, Mixie?" he asks.
But Mixie she disappear!

Later Da Crew tell da orphans,
Dat dey will be jammin' tonight.

"Fi sure dere's **no monster** in da woods,
Everyting gonna be all right."

"Wha gwaan now?" says Bandulu.

"Mi jus' cyant find **mi rake**.

Mi left it right here, mi know it,

Dere mus' be some **mistake!**"

Da Easy Crew go to grab dere gear
For da gig dey gonna play later on.

But dem bongos,
da speaker,
da microphone,
All ah dem are gone!

When dey skate past Wensley Dale's mansion,

Da Prez has **lost** someting too –

A great big cheese he was savin'

For da **campsite jam** wid Da Crew.

Back in da forest clearin',

Dotted amongst da trees,

Scratchy finds someting interestin'

Paw-prints smelling of . . .

Rastamouse spots some **claw marks**

"Hmmn, mi tink dese are probably **fake**.

Mi have an idea what made dem . . .

Den dey hear Mixie shoutin'

From deep inside da wood:

"Ya stay where ya are, Easy Crew,

Mi gonna fix dis monster for good!"

"Mi **truly sorry**," says Mixie,

"Dat mi went an' frighten' you.

Mi made it all up cos me wanted

To be **brave** like Da Easy Crew."

"We're not always brave," says Rastamouse,

"Zoomer – isn't dat right?

Ya done a bad ting, Mixie

But da party's **back on** tonight!"